CHARADINHAS

DIZERES

DIZERES

1. O que um sapato disse para o outro?
2. O que um elevador disse para o outro?
3. **O que o espelho disse para a madrasta?**
4. O que a vampira disse para o monstro?
5. O que a poça d'água disse para o pé?
6. O que o fósforo disse para a bomba?
7. O que o vidro falou para a "vidra"?

RESPOSTAS: 1. "Você é meu par perfeito!"; 2. "Você já pensou em quantas pessoas nós ajudamos a subir na vida?"; 3. "Você não se enxerga?"; 4. "Você é lindo de morrer!"; 5. "Olha onde pisa!"; 6. "Você é muito estourada!"; 7. "Tô vidrado em você!".

DIZERES

8. O que a senhora pulga disse ao senhor pulgo?

9. O que o elétron disse ao atender o telefone?

10. O que o cordão disse para a sapatilha?

11. O que o sabãozinho falou para a "sabãozinha"?

12. **O que o ovo disse para o pintinho?**

RESPOSTAS: 8. "Vamos a pé ou de cachorro?". 9. "Próton!". 10. "Me amarro em você!". 11. "Te Omo!". 12. "Ponha-se lá fora!".

DIZERES

13. O que o pneu disse para a estrada?

14. O que a areia da praia falou para o mar?

15. Qual a expressão preferida do homem que tem nervos de aço?

16. O que um dicionarista disse a uma dicionarista, apaixonadamente?

17. O que o ponteiro grande do relógio disse para o ponteiro pequeno?

18. O que disse a campainha para o dedo?

RESPOSTAS: 13. "Você já está me deixando careca!". 14. "Deixa de ondas!". 15. "Não sou de ferro!". 16. "Não tenho palavras.". 17. "Um minuto, por favor.". 18. "Se você apertar, eu grito.".

DIZERES

19. **O que o cadeado disse para a porta?**

20. O que a xícara disse para a colher?

21. O que o copo disse para a água?

22. O que o livro de português disse para o livro de matemática?

23. O que o celular disse para o carregador?

24. O que a faca disse para o garfo?

RESPOSTAS: 19. "Estou contigo e não abro!". 20. "Vamos mexer isso juntas!". 21. "Estou meio vazio sem você". 22. "Você está cheio de problemas!". 23. "Você é minha fonte de energia!". 24. "Vamos cortar o papo e começar a refeição.".

DIZERES

25. O que a uva disse quando foi pisada por um elefante?

26. O que a máquina de calcular disse para o contador?

27. O que a alface falou para a couve triste?

28. O que um caipira disse ao cumprimentar outro quando estavam em um estádio?

29. O que uma criança disse para o pai ao entrar em um avião pela primeira vez?

30. O que o Sol disse para a Lua, quando tentou paquerá-la inutilmente?

31. O que diz um cirurgião plástico quando um cardíaco insiste em se consultar?

RESPOSTAS: 25. Não disse nada. Só chiou. 26. "Pode contar comigo". 27. "O que couve com você?". 28. "Ô, cumpadre! Firme?". "Não, é futeboi!". 29. "Daqui de cima as pessoas parecem formiguinhasi!". "É formiga mesmo, o avião ainda não decolou!". 30. "Você é muito fria!". 31. "Quem vê cara não vê coração.".

DIZERES

32. O que o café disse para o açúcar?

33. O que o bombeiro vive dizendo da vida em geral?

34. O que a árvore falou para a outra árvore?

35. O que a rua disse para outra rua?

36. O que a televisão disse para o rádio?

37. O que a tomada disse para o fio?

38. O que o lápis disse para o papel?

39. O que o eixo disse para a roda?

RESPOSTAS: 32. "Você adoça a minha vida."; 33. "É Fogo!"; 34. "Nos deixaram aqui plantadas."; 35. "Vamos nos encontrar lá na esquina!"; 36. "Estou ligado em você!"; 37. "Por que você não me liga?"; 38. "Você vive me desapontando!"; 39. "Vamos dar uma voltinha?".

DIZERES

40. O que o cofre disse para a fechadura?

41. O que a carta disse para o selo usado?

42. O que o lixo disse para a dona de casa?

43. O que um ouvido disse para o outro?

44. O que um azulejo disse para o outro?

45. O que a minhoca falou pro minhoco?

46. O que a agulha disse para o carretel?

47. O que a lâmpada disse para o interruptor?

48. O que um tijolo falou para o outro?

RESPOSTAS: 40. "Para você, não tenho segredos!". 41. "Desgruda de mim.". 42. "Vê se se enche o saco!". 43. "Algo que não me interessa entrou aqui e já vai para ali". 44. "Lisossomos.". 45. "Você minhoquece!". 46. "Você é muito enrolado!". 47. "Você me faz brilhar!". 48. "Há um ciúmento entre nós.".

DIZERES

49. O que um boné falou para outro?

50. O que a frigideira disse para o ovo que estava sendo frito?

51. O que a célula disse para o barbeiro?

52. O que a célula disse para seu núcleo?

53. O que a poltrona falou para a mesa depois do banquete?

54. O que uma nuvem falou para a outra?

55. O que o peixinho falou para a peixinha?

56. O que um cupim disse para o outro?

57. O que o burro disse ao sair do ferreiro?

RESPOSTAS: 49. "Bom, né?". 50. "Não gema!". 51. "Mitose". 52. "Você é o chefe do meu DNA!". 53. "Estou estofado!". 54. "Nuvem que num tem.". 55. "To apeixonado por você!". 56. "Me dá um cupim d'água.". 57. "Estou ferrado!".

DIZERES

58. O que a calculadora disse para o computador?

59. O que o tambor disse para a corneta?

60. O que a caixa disse para o fósforo?

61. O que a geladeira disse para o fogão?

62. O que o pato disse para a pata?

63. O que disse a faca para o afiador?

64. O que o calendário disse para o dia?

65. O que o carro disse para o combustível?

RESPOSTAS: 58. "Conte comigo!"; 59. "Você grita e eu que apanho?"; 60. "Você esquenta muito a cabeça."; 61. "Fique frio!"; 62. "Vem quá!"; 63. "Não me amole!"; 64. "Você faz parte da minha programação."; 65. "Você me faz ir mais longe!".

DIZERES

66. O que o polvo disse para a lula?

67. O que uma hortelã disse para outra?

68. O que o paraquedas disse para o paraquedista?

69. O que o Tarzan disse para Jane quando viu os elefantes vindo da floresta?

70. O que o Tarzan disse para a Jane quando viu os elefantes vindo da floresta, mas quando estava usando óculos escuros?

RESPOSTAS: 66. "Ah, eu sou molusco!" (maluco). 67. "Não menta pra mim!". 68. "Tô contigo e não abro.". 69. "Olha os elefantes vindo da floresta!". 70. Nada. Ele não os reconheceu.

DIZERES

71. O que a xícara disse para a colher?

72. Qual a praga que também é elogio?

73. O que uma pedra falou para a outra?

74. O que a mãe canguru disse quando deu pela falta do filhote?

75. O que uma aeromoça disse para a outra?

76. O que a estrada disse para a rua?

77. O que a casa disse para o botão da camisa??

RESPOSTAS: 71. "Mexa-se!". 72. "Bem feito!". 73. "A vida é dura.". 74. "Socorro! Roubaram minha bolsa!". 75. "Na vida, tudo é passageiro.". 76. "Assim você nunca vai longe na vida.". 77. "Entre e fique à vontade.".

DIZERES

78. O que chita, o chimpanzé, disse para o Tarzan?

79. O que a centopeia disse para o "centopéio"?

80. O que um fantasma perguntou para o outro?

81. O que o Benjamim Franklin disse quando descobriu a energia elétrica?

82. O que o porco-espinho perguntou para o cacto?

RESPOSTAS: 78. Nada, macaco não fala. 79. "Larga do meu pé, larga do meu pé!". 80. "Você acredita em Gente?". 81. Nada. Ficou em estado de choque. 82. "É você, mamãe?".

DIZERES

83. O que a zebra disse para o código de barras?

84. Qual a pergunta que se responde com silêncio?

85. O que a manteiga disse para o pão quente?

86. O que um pé disse para o outro?

87. O que uma parede disse para a outra?

88. O que o trem falou para o ônibus?

RESPOSTAS: 83. "Somos tão parecidos!". 84. "Está dormindo?". 85. "Quando passo por ti, me derreto toda.". 86. "Vai na frente que eu vou atrás.". 87. "Te encontro lá no canto!". 88. "Se você fosse meu filho, eu te colocava na linha.".

DIZERES

89. O que um dedo do pé disse para o outro?

90. O que a galinha disse quando perdeu uma pena?

91. Como as enzimas se cumprimentam?

92. O que o próton falou para o elétron?

93. O que um sapato disse para outro sapato?

94. O que o macaco disse para o vidro?

RESPOSTAS: 89. "Não olhe agora, mas tem um calcanhar nos seguindo."; 90. "Que pena!"; 91. "Oi! Tudo enzimas?"; 92. "Você é muito negativo."; 93. "Que vida arrastada nós levamos."; 94. "Vamos fazer mais caquinhos."

DIZERES

95. O que um pombo disse para o outro, que estava triste?

96. O que disse o elefante ao ver a girafa descendo a ladeira?

97. O que o amendoim disse para o elefante?

98. O que o gafanhoto perguntou para o grilo triste?

99. O que o papagaio disse para a namorada?

100. O que um cromossomo disse para o outro?

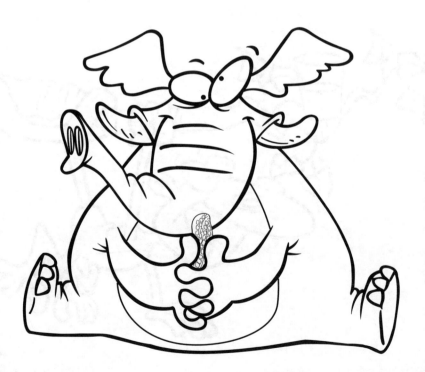

RESPOSTAS: 95. "Não tenha pena de si mesmo!"; 96. "Olha a girafa descendo a ladeira!"; 97. Nada. Amendoins não falam. 98. "Por que você está grilado?"; 99. "Vim pedir seu pé em casamento."; 100. "Cromossomos felizes!".